DISNEY
Les Filles du Pays Imaginaire

En un clin d'œil

écrit par
Kiki Thorpe

illustré par
Jana Christy

Pour Roxie et Freddie — *K. T.*

À Sophia Elizabeth de Flanty — *J. C.*

© 2013 Les Publications Modus Vivendi inc. pour l'édition française.
© 2013 Disney Enterprises, Inc. Tous droits réservés.

Publié par Presses Aventure, une division de
Les Publications Modus Vivendi inc.
55, rue Jean-Talon Ouest, 2e étage
Montréal (Québec) H2R 2W8
CANADA
www.groupemodus.com

Éditeur : Marc Alain
Traduit de l'anglais par Karine Blanchard
Publié pour la première fois en 2013 par Random House
sous le titre original *In a Blink*

Dépôt légal — Bibliothèque et Archives nationales du Québec, 2013
Dépôt légal — Bibliothèque et Archives Canada, 2013

ISBN 978-2-89660-580-4

Nous reconnaissons l'aide financière du gouvernement du Canada par l'entremise
du Fonds du livre du Canada pour nos activités d'édition.

Gouvernement du Québec — Programme de crédit d'impôt pour l'édition
de livres — Gestion SODEC

Imprimé au Canada

DISNEP

Les Filles du Pays Imaginaire

En un clin d'œil

écrit par

Kiki Thorpe

illustré par

Jana Christy

Le Pays Imaginaire

Bien loin de notre monde, ancrée dans la lointaine mer des rêves, émerge une île que l'on appelle le Pays Imaginaire. C'est un lieu magique où chantent les sirènes et où s'amusent les fées, un univers enchanté où les enfants ne grandissent jamais : c'est d'ailleurs pour cela qu'on l'appelle aussi l'Île du Jamais. On y vit chaque jour d'incroyables aventures et tout y est possible. Il y a deux façons d'atteindre le Pays Imaginaire : on peut trouver l'île par soi-même, ou la laisser nous trouver. Pour découvrir le Pays Imaginaire, il faut beaucoup de chance… et une pincée de poussière de Fées. Et encore, on ne peut trouver l'île que si elle souhaite être trouvée…

Il arrive que le Pays Imaginaire dérive si près de notre monde qu'on puisse entendre un petit rire de fée, au loin. Plus rarement encore, le Pays Imaginaire ouvre ses portes à quelques enfants chanceux. Si du plus profond de ton cœur tu crois aux fées et à la magie, tu peux permettre à l'extraordinaire d'exister. Si soudain tu entends le tintement des petites clochettes ou si tu perçois une brise marine quand tu es loin de l'océan, tends l'oreille et ouvre ton cœur. Le Pays Imaginaire pourrait être juste à côté... Tu pourrais t'y retrouver en un clin d'œil. C'est exactement comme ça qu'un beau jour, quatre petites filles se sont retrouvées sur l'Île du Jamais. Voici leur histoire.

Le Pays Imaginaire

L'Anse-aux-Pirates

La Montagne Tordue

Le Rocher du Crâne

La Vallée des Fées

La Lagune des Sirènes

Chapitre 1

Il retentit encore. Toujours le même son.

Kate McCrady se figea. Le ballon de soccer roula devant elle, mais elle ne le remarqua même pas. Elle pencha la tête d'un côté, puis tendit l'oreille.

Oui, c'était bien le même son qu'elle avait entendu tout l'après-midi. Un son aigu et métallique, comme de toutes petites cloches. Kate parcourut la cour du regard. Qu'est-ce que ça pouvait bien être?

–Je l'ai! cria Lainey Winters.

Elle poursuivit le ballon, jusqu'au fond de la cour. Ses grosses lunettes lui glissèrent sur le nez quand elle se pencha pour le ramasser.

–Je l'ai! cria-t-elle de nouveau. Kate est dans la lune, on dirait!

À l'autre bout de la cour, la meilleure amie de Kate, Mia Vasquez, mit les mains sur les hanches. Elle était surprise que Kate ait laissé filer une passe aussi facile.

–Qu'est-ce qui se passe, Kate? demanda-t-elle.

–Tu entends ce petit bruit? dit Kate.

– Quel bruit ? répliqua Mia.

– Qu'est-ce que vous faites ?
cria Lainey, qui se sentait mise
à l'écart. On ne joue plus ?

Kate tendit l'oreille. Elle
n'entendait plus les petites
cloches. Elle était tout excitée,
bien qu'elle ne sache pas
pourquoi.

– Ce n'est rien, j'imagine,
dit-elle en reposant son
attention sur la partie.

– Tu es au centre, maintenant,
lui rappela Mia.

Kate souleva les épaules.
Elle était vraiment douée
pour le soccer. En fait, elle
était douée pour tout ce qui
touchait de près ou de loin
à l'univers sportif. Elle ne
restait jamais bien longtemps
au centre.

– Bon, Lainey, viens prendre
ma place, dit-elle. Lainey!
Lainey?

*

Lainey ne l'entendit pas. Elle observait le ciel. Une volée de flamants roses passait là-haut.

« Des flamants roses ? pensa-t-elle. C'est impossible ! »

Lainey avait vu la photo d'un flamant dans son livre de sciences. Les flamants roses habitaient des contrées chaudes et ensoleillées, on les retrouvait près de l'océan ou près des lacs. Les flamants ne se trouvaient pas dans les villes comme celle où demeurait Lainey.

Sans doute ses lunettes lui
jouaient-elles des tours.
Lainey les retira et essuya
les verres sur son chandail.
Quand elle les remit,
les flamants étaient partis. Là
où ils étaient passés, Lainey
ne vit que des nuages.

– Lainey ! cria Mia.

Lainey sursauta, puis se
tourna vers ses amies.

– Vous avez vu les flamants
roses ? demanda-t-elle.

En apercevant le regard de Kate et de Mia, Lainey sut tout de suite que quelque chose clochait. Son visage vira au rouge.

– Nous sommes prêtes à jouer, mais c'est toi qui as le ballon, dit Kate.

– Ah, oui, c'est vrai, dit Lainey en voyant le ballon dans ses mains.

Lainey déposa le ballon sur la pelouse. Elle jeta un regard furtif vers le ciel. Aucun flamant rose en vue.

Toutefois, tandis que les nuages glissaient vers l'horizon, Lainey avait l'impression d'entendre le son d'un battement d'ailes.

*

De l'autre côté de la cour, Mia perdait patience. Pourquoi ses amies étaient-elles si étranges, aujourd'hui? Elle voulait seulement terminer la partie!

Lainey botta finalement le ballon.

« Enfin, pensa Mia. Finies, les interruptions. »

Au même moment, la porte arrière de la maison de Mia s'ouvrit pour laisser passer une petite fille vêtue d'un tutu rose. Celle-ci fila à travers la cour, imitant le bourdonnement d'une abeille.

– Gabby ! cria Mia à sa petite sœur, qui fonçait droit sur Kate, qui elle poursuivait le ballon. Regarde où tu vas !

Trop tard! Gabby heurta Kate
de plein fouet et les deux
filles se retrouvèrent au sol.

– Gabby! cria de nouveau Mia,
agacée. Arrête de te mettre en
travers de notre chemin!

Gabby se releva. Elle replaça
les ailes de son déguisement
de fée.

– Je ne me mets pas en travers
de votre chemin, se plaignit-
elle. C'est Kate qui m'a foncé
dessus. Je volais, moi.

– Tu ne volais pas, rétorqua Mia. Tu t'amusais à être détestable.

– Ça va, dit Kate en se relevant à son tour. Gabby, tu veux jouer avec nous ?

– Oui ! dit Gabby.

– Non ! cria Mia au même moment.

Les deux sœurs se dévisagèrent.

– Gabby, tu es trop jeune,
dit Mia en prenant sa voix
de grande sœur. Va jouer
ailleurs.

Gabby tira la langue à Mia,
puis se dirigea d'un pas lourd
vers le parterre de fleurs.
Bien qu'elle n'y soit pas
autorisée, Gabby adorait jouer
parmi les fleurs.

– Gabby, fais attention aux
fleurs de Mami, prévint Mia.

Gabby l'ignora. Elle se pencha et aperçut quelque chose dans les tulipes.

– Oh ! s'exclama-t-elle. Une fée !

Mia roula les yeux. Sa petite sœur avait une imagination fertile. Au moins, elle les laissait enfin tranquilles. Mia se tourna vers ses copines.

Au même moment, le vent se leva. Mia perçut l'odeur de l'eau de mer.

« C'est étrange », pensa-t-elle.

Elle regarda autour d'elle.
Le vent faisait bouger les
arbres broussailleux de sa
cour d'une façon qui lui
faisait penser à des palmiers.
Mia eut la drôle d'impression
que si elle jetait un œil au-
delà de la clôture, elle
pourrait apercevoir l'océan.

Évidemment, c'était une
pensée complètement farfelue.
L'océan était à des centaines
de kilomètres de chez elle.

Le vent fit filer le ballon de soccer jusqu'aux recoins de la cour, plia les fleurs et fouetta les cheveux des filles. En tendant l'oreille, Mia entendit le bruit des vagues qui se brisent sur la côte.

Les autres filles l'entendirent aussi. Quelque chose de bizarre se préparait. Elles se rapprochèrent les unes des autres et se prirent les mains.

– Gabby? cria Mia, affolée. Gabby, viens ici !

*

Quand la fée était apparue dans le jardin, Gabby n'avait pas été surprise. Elle faisait souvent semblant de parler aux fées; elle faisait même parfois semblant d'en être une.

Les fées étaient si présentes dans l'univers de Gabby qu'il lui semblait tout naturel d'en retrouver une parmi les tulipes de sa maman.

– Bonjour, petite fée, dit Gabby.

–Je suis Prilla, répondit la fée.
Tape des mains si tu crois aux
fées !

Personne ne croyait davantage
aux fées que Gabby. Elle tapa
des mains de toutes ses forces.

Prilla culbuta de bonheur.

—Je dois rentrer chez moi, dit
Prilla.

—Ne pars pas! cria Gabby au
moment où le vent se levait.

Le vent soufflait très fort.
Gabby entendit finalement sa
grande sœur qui l'appelait:

—Gabby? Gabby, viens ici!

Gabby, qui avait peur de voir
disparaître la petite fée,
prit doucement Prilla entre
ses mains, aussi délicatement
que si elle tenait un papillon.

Puis Mia la saisit
brusquement par le bras.

À la seconde où Mia attrapa
Gabby, il y eut un étrange
clignement, comme le lent
déclic d'un appareil photo.

L'instant d'après, la cour avait
disparu.

Chapitre 2

Les quatre filles se trouvaient
maintenant sur une plage
déserte. À l'emplacement
exact où trônait la clôture un
instant plus tôt, de grosses
vagues déferlaient sur le
sable. À l'endroit où aurait dû
être la maison s'élevait une
immense et dense forêt.

Un bruissement venant du ciel leur fit lever les yeux. Une volée de flamants roses passa au-dessus de leur tête.

– Je savais bien que j'avais vu des flamants, murmura Lainey.

– C'est un rêve? demanda Mia.

Kate ne croyait pas que ce soit un rêve. Jamais un de ses rêves n'avait été aussi clair, aussi net. Pour s'en assurer, elle pinça Mia.

–Ouch! dit Mia en se
frictionnant le bras. Kate!

–Ce n'est pas un rêve,
dit Kate en souriant.

–Mia, se plaignit Gabby,
tu me serres trop fort.

Mia lâcha le bras de Gabby,
puis elle se rendit compte
que celle-ci tenait quelque
chose entre ses mains jointes.

–Qu'est-ce que tu as dans
les mains? demanda Mia à
sa sœur.

– Une fée, répondit Gabby.

– Gabby, commença Mia d'un ton réprobateur. Qu'est-ce qu'on t'a déjà dit à propos du mensonge?

– Puisque je te dis que c'est une fée! s'obstina Gabby. Regarde.

Gabby ouvrit les mains. Une vraie petite fée s'en échappa.

Les autres filles reculèrent, surprises.

La fée avait de jolis cheveux bruns et bouclés et elle brillait d'un éclat jaune citron. Elle semblait aussi surprise que les filles de cette drôle de rencontre. Elle cligna trois fois des yeux. Puis elle fila, plus vite que l'éclair.

– Reviens! cria Gabby.

Mais la fée ne s'arrêta pas. Les filles ne virent qu'une étincelle zigzaguer entre les arbres.

Kate se tourna vers ses
copines.

– Ne restons pas là ! dit-elle,
tout excitée. Suivons-la !

*

Prilla volait à toute allure en
direction de la Vallée des Fées.
Elle n'avait jamais autant
souhaité être une fée Véloce.

« Évidemment, pensa Prilla,
si j'étais une fée Véloce, je ne
me serais pas mise dans un tel
pétrin. »

Elle contourna un buisson fleuri, puis aperçut l'atelier de Clochette. Si quelqu'un pouvait l'aider, c'était bien elle.

Prilla fonça droit dans l'atelier. Clochette leva la tête, agacée. Elle n'aimait pas être interrompue en plein travail. Mais aussitôt qu'elle vit la mine de Prilla, elle déposa la casserole qu'elle s'affairait à réparer.

– Que se passe-t-il ? demanda Clochette.

– J'ai un problème, répondit
Prilla. Un gros, un énorme
problème !

– Montre-moi ce que c'est, dit
Clochette. Je suis certaine que
je peux t'aider.

–Je ne peux pas te l'apporter ici, s'opposa Prilla. Peux-tu venir avec moi?

– Maintenant? dit Clochette en baissant les yeux sur sa casserole. J'étais en train de…

–C'est urgent! supplia Prilla.

–Bon, d'accord, soupira Clochette. Quel est le problème, au juste?

–Tu dois voir ça de tes propres yeux, dit Prilla en entraînant Clochette par la main.

Quand elles atteignirent
la plage, Prilla s'arrêta net.

– Elles étaient juste là !
cria-t-elle.

– Elles ? demanda Clochette.

Puis elles entendirent un cri
au loin. Clochette tendit ses
oreilles pointues.

– On dirait des Empotées !
s'exclama-t-elle.

– C'est ce que je voulais te
montrer, dit Prilla. Suis-moi.

Prilla et Clochette suivirent
les voix à travers la forêt.
Clochette vit alors quel était
le problème de Prilla.

Les quatre problèmes, en fait;
Clochette vit quatre jeunes
filles avancer entre les arbres.
La plus grande ouvrait la
marche. Elle avait des taches
de rousseur, une jolie tignasse
rousse et une démarche
sautillante. La fille derrière
elle avait de grosses lunettes
qui lui glissaient
constamment sur le nez.

Ensuite, suivait une fille
aux longs cheveux noirs et
bouclés. Celle-ci tenait par
la main une petite fille qui
semblait être sa sœur. La
petite fille essayait sans cesse
de retirer sa main de son
emprise.

Clochette les observa. La plus
petite avait des ailes.
Clochette n'avait jamais vu
une Empotée avec des ailes.

– Kate, dit la fille à lunettes,
hésitante. Tu crois qu'on est
perdues?

La fille rousse s'arrêta. Elle mit les mains sur les hanches et regarda autour d'elle.

– Comment peut-on être perdues quand on ne sait même pas où on se trouve au départ? lui fit remarquer Kate.

– Je ne les ai jamais vues, ces Empotées, chuchota Clochette à Prilla. D'où viennent-elles?

– Euh… fit Prilla, mal à l'aise. Tu vois, c'est moi qui les ai amenées.

– Quoi? dit Clochette.

Elle fut si stupéfaite que ses ailes manquèrent un battement.

– Je ne voulais pas, se défendit Prilla. C'était un accident.

Clochette tirailla sa frange, comme elle le faisait chaque fois qu'elle était contrariée ou confuse. En ce moment, elle était contrariée *et* confuse.

– Raconte-moi tout du début, demanda Clochette.

–J'étais en plein clin d'œil, expliqua Prilla.

Prilla avait un don plutôt inhabituel : elle pouvait rendre visite aux enfants, partout dans le monde, en un seul clin d'œil. Le don de Prilla était vraiment précieux. En visitant les enfants, elle faisait en sorte que les petits continuent de croire aux fées, et les fées carburaient à la croyance des enfants.

–Continue, l'encouragea Clochette.

– Tout était normal, dit Prilla, jusqu'à ce que j'essaie de revenir. Quand j'ai mis les pieds au Pays Imaginaire, les filles m'avaient suivie ! J'ai dû les amener avec moi sans m'en rendre compte !

– Tu n'as qu'à cligner des yeux pour les renvoyer d'où elles viennent, alors, suggéra Clochette, en croisant les bras.

– J'ai essayé ! dit Prilla. Mais ça n'a pas fonctionné. Qu'est-ce que je dois faire, Clochette ?

Clochette soupira. Le problème, avec les fées qui réparent des choses, c'est que toutes les autres fées viennent les voir pour résoudre des tas de problèmes qui n'ont rien à voir avec les casseroles et les chaudrons.

Au même moment, la petite fille leva la tête et les aperçut.

– Ma petite fée est revenue ! s'exclama-t-elle.

– Elle a emmené une amie ! ajouta la fillette à lunettes.

Les filles se bousculèrent pour mieux voir les petites fées.

– Oh ! Vous avez vu sa toute petite queue de cheval ?

– Et sa petite robe de feuilles ?

– Regardez les pompons sur ses chaussures !

– Elle est siiiii mignonne !

– Je ne suis pas mignonne ! s'exclama Clochette.

Clochette n'avait jamais beaucoup aimé les Empotés (à part Peter Pan, évidemment) et ces fillettes lui semblaient particulièrement idiotes.

– Prilla, ces filles n'ont pas leur place dans la Vallée des Fées, dit Clochette. Renvoie-les chez elles.

– Mais, Clochette...
commença Prilla.

Au même instant, elles entendirent un battement d'ailes. Une troisième fée apparut.

C'était Spring, une Messagère. Prilla et Clochette s'approchèrent d'elle.

– Venez à l'Arbre-aux-Dames immédiatement, leur dit Spring.

– Que se passe-t-il? demanda Prilla, inquiète.

Spring jeta un regard aux quatre fillettes.

– Et amenez les Empotées avec vous, dit-elle. La reine a deux mots à vous dire.

Chapitre 3

Dès que les trois fées
partirent, Kate s'élança
derrière elles.

– Vite ! cria-t-elle. Il ne faut
pas les laisser s'échapper !

Les filles poursuivirent les
fées à travers la forêt.

Elles évitèrent des branches et surmontèrent des souches; elles n'avaient pas entendu les consignes de Spring et ne savaient pas que les fées voulaient qu'elles les suivent.

– Où allons-nous, d'après vous? demanda Lainey, essoufflée.

La forêt devenait moins dense. Elles pouvaient maintenant apercevoir des coins de ciel bleu.

– Je ne sais pas, répondit Kate. Mais je…

Au moment où Kate mit
le pied dans la clairière, elle
perdit le fil de ses pensées.
Les filles arrivèrent juste
après, et elles furent aussi
saisies d'un profond
émerveillement.

Pour comprendre ce que les
filles ont ressenti en arrivant
dans la Vallée des Fées, pense à
ton rêve le plus merveilleux.
Était-il rempli de doux rayons
de soleil et de musique
féérique? Y avais-tu déniché
un somptueux trésor?

Avais-tu l'impression que,
dans ce rêve, tout était
possible?

Pour les filles, la Vallée des
Fées représentait tout ça, et
plus encore. Elles se tenaient à
l'orée d'une clairière débordant
de fleurs sauvages. Et, partout
où elles posaient les yeux, il
y avait des fées.

Une fée passa
alors à côté
d'elles, à dos
de lapin.

Une autre fendit l'air à la poursuite d'un papillon bleu clair. Partout les fées virevoltaient à travers les fleurs, leurs ailes brillant sous la lumière du soleil.

Kate amorça un pas en avant, puis recula d'un bond : une fée passa devant elle en coup de vent, montée à bord d'un petit chariot tiré par une souris. Quand elle vit Kate, elle faillit tomber à la renverse.

Les filles traversèrent
lentement la clairière en
surveillant chacun de leurs
pas. Des fées vêtues de robes
en pétales de fleurs
bourdonnaient autour d'elles.
Bientôt, elles furent cernées
par tout un attroupement.
Les fées semblaient sans cesse
répéter le même mot :
Empotée.

– Pourquoi disent-elles ça sans
arrêt ? demanda Mia.

– Peut-être qu'elles parlent de toi, se moqua Kate.

– Je ne suis pas empotée, ni maladroite ! rétorqua Mia, visiblement offensée.

– Oh ! dit Kate en s'arrêtant brusquement. Regardez !

Devant elles se trouvait un érable aussi gros qu'une maison ; en s'approchant, les filles comprirent que c'en était bel et bien une.

De toutes petites portes et fenêtres ponctuaient les branches. Plusieurs petites fenêtres s'ouvrirent et des fées sortirent la tête pour dévisager les filles.

– Venez ! Venez ! lui dirent les trois fées qu'elles avaient suivies.

Au pied du grand arbre se trouvait une cour faite de galets.

Une fée se tenait en son centre.
Elle portait une longue robe
faite de pétales de roses. Elle
était coiffée d'une fine
couronne d'or.

— Ce doit être leur reine,
souffla Mia.

Jusqu'ici, Kate avait pris les
devants, mais, à ce moment-ci,
elle était perplexe. Elle n'avait
jamais fait la rencontre d'une
reine auparavant. Elle ne
savait pas trop comment agir.

À la grande surprise de Kate,
Gabby passa devant elle.
La petite fille saisit le rebord
de son tutu et fit une révérence.

La reine parut satisfaite.

–Je suis la reine Clarion, annonça-t-elle d'une voix qui aurait dû appartenir à quelqu'un de beaucoup plus grand. Dites-moi, pourquoi êtes-vous venues ici?

–Votre Majesté, dit Kate qui avait finalement repris ses esprits. Nous ne savons pas pourquoi nous sommes ici. Nous ne savons même pas où nous sommes.

Un murmure parcourut la foule de fées. Même la reine parut surprise.

– Ma foi, vous êtes dans la Vallée des Fées ! dit-elle. Sur l'Île du Jamais. Seriez-vous en train de me dire que vous n'aviez pas l'intention de venir ici ?

– C'est ma faute, dit une fée. C'est moi que les filles ont vue sur la plage.

– Raconte ce que tu sais, Prilla, encouragea la reine.

–Je ne voulais pas les ramener avec moi, expliqua-t-elle à la reine. Je ferais vol arrière, si je le pouvais.

Prilla avait très peur que la reine soit en colère. Aucune fée n'avait jamais fait entrer des Empotées au Pays Imaginaire.

La reine réfléchit en silence un instant.

– On dirait bien que ces jeunes filles sont arrivées ici par accident, dit-elle. D'une façon ou d'une autre, nous devons les renvoyer chez elles. D'ici là, elles seront traitées comme nos invitées. Chères fées de la Vallée des Fées, soyez gentilles avec ces Empotées.

– Je ne suis pas empotée, dit Mia tout à coup. Je suis Mia!

Toutes les fées se retournèrent pour la regarder. Mia rougit, mais enchaîna :

– Voici Kate et Lainey. Et
voici ma petite sœur Gabby.
Nous ne sommes pas empotées
et j'aimerais bien que vous ne
nous appeliez plus comme ça,
euh… Votre Majesté.

Le silence tomba sur la cour.
La reine fixa Mia. Puis elle
éclata d'un rire clair qui
ressemblait au tintement
d'une clochette. Aussitôt, les
filles se détendirent.

– Empotés, c'est le nom qu'on donne aux habitants de l'Autre Monde – de votre monde, expliqua Reine Clarion. Vous avez raison. Comme vous êtes nos invitées, nous vous appellerons par vos noms. Mia, Kate, Lainey et Gabby, je vous souhaite la bienvenue dans la Vallée des Fées.

La reine tapa des mains. Sur le côté de l'arbre, une porte s'ouvrit et des douzaines de fées en sortirent, les mains chargées de nourriture :

des fraises entières, des
noisettes grillées, des meules
de fromage de la taille d'un
sou, des miches de pain pas
plus grosses qu'un pouce...
et quatre magnifiques
gâteaux. Il fallait deux fées
pour transporter chacun
d'eux, bien que, pour les filles,
ils ne fussent pas plus gros
que des cupcakes.

D'autres fées ouvrirent devant
elles des feuilles de bananier
en guise de napperons.

Kate, Lainey, Mia et Gabby prirent place pour leur premier festin féérique.

Clochette observait la scène depuis l'extrémité de la cour. Quand les filles commencèrent à manger, elle s'éleva dans les airs.

Tout semblait bien organisé. Elle pouvait maintenant regagner son atelier. Comme elle s'apprêtait à quitter, la reine l'interpella. Clochette vint la rejoindre.

–Oui, Reine Clarion?
dit Clochette.

–Jamais nous n'avons eu
autant d'Empotées dans la
Vallée des Fées, dit la reine.

–Non, jamais, acquiesça
Clochette.

–Surveiller quatre filles ne
sera pas chose facile, n'est-ce
pas? demanda la reine.

–J'imagine, répondit
distraitement Clochette, qui
pensait déjà à la casserole qui
l'attendait à l'atelier.

Elle fut vite ramenée à la réalité.

–Je veux que tu donnes un coup de main à Prilla, dit la reine à Clochette. À compter de maintenant, ce sera ta responsabilité de surveiller les filles.

Chapitre 4

Quelle injustice ! Dès qu'elle
fut seule, Clochette tapa son
petit pied par terre. Elle se
retrouvait avec les Empotées
sur les bras. Clochette aurait
préféré qu'on lui sauce les
ailes dans la boue !

« Pourquoi moi ? grogna-t-elle pour elle-même. N'importe quelle fée aurait pu s'en occuper. »

Mais Clochette n'avait pas le choix, elle avait reçu un ordre de la reine. Ainsi, quand Prilla décida d'offrir un tour guidé aux filles, Clochette fut obligée de les suivre.

Prilla leur fit d'abord visiter l'Arbre-aux-Dames, comme toute fée l'aurait fait. L'Arbre-aux-Dames était le cœur du pays des fées.

Plus tôt, les filles avaient été trop émerveillées pour bien l'observer; à présent, elles voyaient tous les détails qui leur avaient échappé. Elles furent éblouies de découvrir la porte fichée dans un nœud, les fenêtres en verre marin et les toutes petites marches qui montaient comme un ruban autour du tronc majestueux.

– Qu'y a-t-il derrière ces portes? demanda Gabby en pointant les nombreuses petites portes le long des branches.

– Les chambres des fées, expliqua Prilla. Chacune d'elle est décorée en fonction du talent propre à chaque fée.

– Quel genre de talent? demanda Lainey.

– Tous les talents! répondit Prilla. Toutes les fées de la Vallée des Fées ont un talent. C'est ce qu'elles savent faire le mieux et ce qu'elles préfèrent par-dessus tout. Regardez, là, dans la cour.

C'est une fée Polisseuse. Et celle-là, celle qui transporte une prune, c'est une fée Cueilleuse.

Kate rigola. « Quels drôles de talents », pensa-t-elle.

– Si j'étais une fée, j'aurais un talent vraiment spécial, murmura-t-elle à Mia.

Mia acquiesça. Elle était occupée à zieuter par les fenêtres de la salle à manger. Kate regarda par-dessus son épaule.

Elle vit une petite table faite
d'une tranche de souche bien
polie. Elle était dressée avec
des couverts en coquillages et
des serviettes de table en
pétales de fleurs.

– Tout est si joli ! s'exclama Mia. J'aimerais pouvoir rapetisser et me glisser à l'intérieur.

– Juste ici se trouve l'atelier de Clochette, annonça Prilla en entraînant les filles sur le côté de l'arbre.

À cet instant, Clochette, qui boudait derrière une racine, se leva d'un bond. Son atelier était sa plus grande fierté. Elle ne voulait pas voir les Empotées s'en approcher ! Elle se dépêcha pour garder un œil sur elles.

Quand Gabby aperçut
l'atelier, elle s'exclama,
émerveillée :

– C'est une théière !

En effet, une grande théière
était coincée entre les racines
de l'Arbre-aux-Dames.

– Clochette est une fée
Rétameuse, expliqua Prilla.
C'est la meilleure de toute la
Vallée des Fées.

En temps normal, Clochette aurait été flattée du compliment, mais elle était bien trop occupée à surveiller Mia. La jeune fille était agenouillée et furetait par la fenêtre.

– Regardez! dit-elle. Il y a un tout petit banc. Et un seau fait d'un dé à coudre. Oh! Une chaise faite avec une vieille cuillère!

– Je veux voir! Je veux voir! s'impatienta Gabby en tirant sur la manche de Mia.

Les filles regardèrent tour à tour. Elles étaient si enthousiastes que même Clochette se prit à sourire.

– C'est la chose la plus mignonne que j'aie jamais vue! s'extasia Mia.

Le sourire de Clochette s'effaça. Prilla semblait mal à l'aise.

– Qu'est-ce que j'ai dit? s'inquiéta Mia.

– Les fées n'aiment pas
qu'on leur dise qu'elles sont
mignonnes, dit Prilla.
C'est une insulte pour elles.

– Oh! Je ne savais pas,
dit Mia. Je suis désolée,
mademoiselle Clochette.

Clochette roula les yeux.

– Les fées ne sont pas désolées,
expliqua Prilla. Elles disent:
«Je ferais vol arrière si je le
pouvais.»

Mia regarda Clochette et hocha la tête, craignant de faire un autre faux-pas.

– Ça va aller, dit gentiment Prilla. Quand je suis arrivée ici, je ne connaissais pas toutes les règles, moi non plus.

– Quelles autres règles y a-t-il? demanda Lainey.

– Tout d'abord, les fées ne disent jamais « monsieur » ou « mademoiselle », dit Prilla.

Aussi, faites bien attention à
qui vous confiez vos secrets, car
les fées aiment bien bavasser.
Finalement, ajouta Prilla en
baissant la voix, prenez garde
à Vidia, la fée Véloce.

Prilla poursuivit ses
recommandations, mais Kate
n'écoutait plus. Les règles
l'avaient toujours ennuyée.

Kate regarda autour d'elle.
Elle aperçut un petit
immeuble fait de branches,
muni d'un toit de paille et
d'une grande porte.

– Qu'est-ce qu'il y a, là-dedans?
demanda Kate en
s'agenouillant pour ouvrir
la porte.

– Non! cria Clochette. C'est la…

Son explication fut assourdie
par le couinement apeuré
d'une douzaine de souris
qui s'échappaient dans toutes
les directions.

– Oups! dit Kate.

– C'est la grange des souris
laitières, compléta Clochette
en soupirant.

–Je vais les rattraper! dit Lainey en filant derrière les souris.

Une fée sortit de la grange.

– Espèces d'Empotées
maladroites ! cria-t-elle.

– Nous ferions mieux d'y
aller, dit Prilla en entraînant
les filles.

Kate regarda par-dessus son
épaule. La fée rassemblait
et guidait les souris vers la
grange.

Prilla fit voyager les filles
un peu partout dans la Vallée
des Fées.

Elles virent des fées
Jardinières arroser les plantes,
des fées Soigneuses jouer à
cache-cache à dos d'écureuil,
des fées Cueilleuses amasser
des pêches juteuses et
ensoleillées…

Elles passèrent ensuite près
du ruisseau Barbotine où les
fées Aquatiques naviguaient
à bord de leur canot d'écorce.

Juste à côté, Kate vit un petit
immeuble fait de drôles de
pierres. En s'approchant,
elle comprit qu'il ne s'agissait
pas de pierres, mais bien
de noyaux de pêches.

– Qu'est-ce que c'est?
demanda-t-elle.

– C'est notre moulin, répondit
Prilla. C'est ici que l'on
conserve la poussière de Fées.

–C'est quoi, de la poussière
de Fées? demanda Lainey.

Au même moment, un
homme-hirondelle contourna
le moulin et s'approcha d'elles.

–La poussière nous aide à
voler, dit-il. Sans elle, nous
ne pourrions avancer que de
quelques centimètres à la fois.

–Je vous présente Terence, dit
Prilla. C'est un Empoudreur.

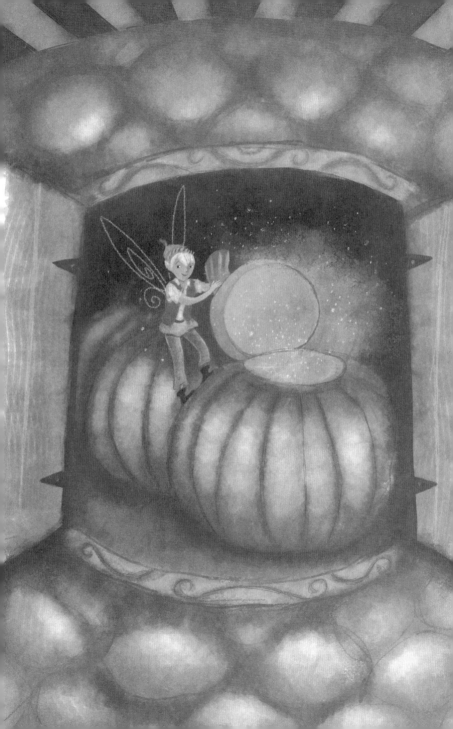

– Voulez-vous voir à
l'intérieur? demanda Terence.

Les filles se regroupèrent
devant la double porte. Dans
la pénombre, elles pouvaient
distinguer une douzaine
de contenants-citrouilles.

Terence souleva le couvercle
d'une des citrouilles. La
poussière de Fées était plus
fine que de la farine et elle
brillait de toutes les couleurs
de l'arc-en-ciel.

–Ça fait beaucoup de
poussière, dit Mia.

–Juste ce qu'il faut, répondit
Terence. Dans la Vallée des
Fées, il y a juste ce qu'il faut
de tout ce dont on a besoin.
Ni plus ni moins.

Kate réfléchissait à tout
ce qu'avait dit Terence.

–Vous avez dit que la
poussière de Fées vous aidait à
voler, dit-elle. Elle pourrait
nous faire voler, nous aussi?

– Bien sûr, dit Terence. Avec de la poussière de Fées, tout le monde peut voler. En fait, c'est généralement comme ça que les enfants viennent au Pays Imaginaire. Vous êtes les premières à arriver ici sur un clin d'œil.

– D'autres enfants sont venus ici? s'exclama Kate, surprise.

– Bien sûr, dit à nouveau Terence. Pas très souvent, par contre. Et, habituellement, ils se retrouvent ailleurs au Pays Imaginaire. On ne voit pas beaucoup d'Empotés dans la Vallée des Fées.

– Et où sont ces enfants, maintenant ? demanda Mia.

– Chez eux, répondit Clochette.

Les filles sursautèrent.
C'étaient les premiers mots
que prononçait Clochette
depuis l'incident de la grange.

– Les Empotés rentrent chez
eux, insista Clochette d'un
ton sans équivoque. À moins
qu'ils n'aient nulle part où
aller. Ils restent alors perdus
au Pays Imaginaire à jamais.

Les mots « à jamais »
résonnèrent dans l'esprit de
Kate et la firent frissonner.

– Mais… commença-t-elle.
Ceux qui rentrent à la maison
reviennent vous visiter à
l'occasion, alors?

– Non, répondit Clochette.
Ils rentrent chez eux et ils
grandissent. Ils finissent par
oublier leur passage ici. Le
Pays Imaginaire leur semble
alors être un rêve lointain.

Les filles restèrent silencieuses un moment. Elles ne pouvaient s'imaginer un jour pouvoir oublier un endroit aussi magnifique.

– Il se fait tard, dit Prilla. Nous visiterons le reste de la Vallée des Fées demain.

– Venez me visiter quand bon vous semblera, dit Terence aux filles en refermant les portes du moulin.

Le soleil couchant plongeait
la clairière dans une lumière
dorée sur le chemin du retour.
La scène était encore plus
belle qu'à leur arrivée dans la
Vallée des Fées. Mais Kate ne
le remarqua pas. Les paroles
de Clochette la tenaillaient
encore.

Était-ce vrai qu'elles allaient
rentrer chez elles et tout
oublier de leur passage ici?
Ou alors allaient-elles rester à
jamais au Pays Imaginaire?

Aux yeux de Kate, le choix –
si c'en était un – était
vraiment déchirant.

«Je n'y penserai pas tout de
suite», se dit Kate. Après tout,
elles avaient la chance d'être là,
maintenant. Et il y avait
encore tant à voir, à faire et
à découvrir.

Elle chassa ces pensées de son
esprit et accéléra le pas pour
rejoindre ses amies.

Chapitre 5

–Je vais vous montrer votre
chambre, dit Prilla aux quatre
filles.

–Nous avons une chambre?
demanda Kate, surprise.

–Évidemment! dit Prilla
en rigolant. Où pensiez-vous
dormir? Par terre?

Kate n'y aurait pas vu
d'inconvénient. Elle avait
toujours rêvé de dormir
à la belle étoile.

– Venez, dit Prilla. Les fées
Décoratrices ont presque fini.

Les derniers rayons du soleil
touchaient le sol. Kate, Mia,
Lainey et Gabby suivirent
les fées vers un grand saule
pleureur. La lumière filtrait
à travers ses feuilles. On
aurait dit que l'arbre brillait
de l'intérieur.

Clochette écarta les branches et les filles s'avancèrent.

Kate retint son souffle. Leur chambre était parfaite. Quatre grands hamacs étaient suspendus aux branches du saule, les feuilles tombaient en cascades autour et faisaient office de rideaux. La pelouse avait été raclée pour créer de jolis motifs de spirales et une douce lumière émanait des lanternes fichées dans le tronc de l'arbre.

Gabby s'approcha d'une des lanternes. Une demi-douzaine de lucioles virevoltaient à l'intérieur.

Mia se laissa tomber dans l'un des hamacs. Ceux-ci avaient été remplis de mousse et couverts de draps de soie. Elle souleva son oreiller et renifla.

– Ça sent les roses ! dit-elle.

– Il est rempli de pétales de roses, expliqua Prilla. Tu aimes ça ?

– C'est la plus jolie chambre
que j'aie jamais vue ! dit Mia.

Les filles remarquèrent alors
deux petits hamacs à côté des
leurs.

– Vous habitez ici aussi ?
demanda Gabby.

– Clochette et moi avons nos
chambres respectives dans
l'Arbre-aux-Dames, dit Prilla.
Mais nous allons rester avec
vous, du moins, pour le
moment.

Sur une autre branche, Lainey
découvrit une bassine faite de
feuilles de bananier tressées
serré. Elle était pleine d'eau de
source fraîche.

Les filles se nettoyèrent
le visage et se
brossèrent les dents
avec du bois de
réglisse. Les fées
Couturières leur avaient
conçu de jolies robes de nuit
en cousant ensemble des draps
de flanelle. Les filles les
enfilèrent, frissonnant au
contact de la douceur du tissu.

Tandis que les filles grimpaient dans leur lit, Clochette tapota les lanternes pour éteindre les lucioles.

– Laissez-en une allumée, s'il vous plaît, dit Mia. À la maison, Mami laisse toujours une petite lumière pour Gabby.

– Oh! fit Lainey en se levant d'un bond. La maison!

Depuis le début de cette aventure, les filles n'avaient pas pensé une seule fois à leurs parents. Cela faisait un bon moment qu'elles étaient parties!

– Nos parents vont être tellement inquiets ! dit Mia.

– Ils vont être en colère, ajouta Kate.

– Si seulement on pouvait leur envoyer un message, dit Lainey. Nous pourrions les rassurer, leur dire que tout va bien.

– Prilla pourrait aller porter un message, dit Clochette en regardant les ailes de Gabby, l'air absent.

– C'est vrai ! s'exclama Prilla.
Je pourrais refaire un clin
d'œil ! Clochette, tu es géniale !

Clochette souleva les épaules
et regarda de nouveau les
ailes de Gabby. Elle s'était
inquiétée quand la petite fille
les avait enlevées pour les
suspendre à une branche. Elle
voyait bien, maintenant, que
ces ailes étaient faites
de tissu et de fil de fer. Ce
n'étaient pas des ailes de fée.

Les filles s'affairaient à rédiger leur message. Les fées n'avaient ni papier ni crayon, alors Mia écrivit son message sur un morceau d'écorce en trempant une brindille dans de l'encre de petits fruits.

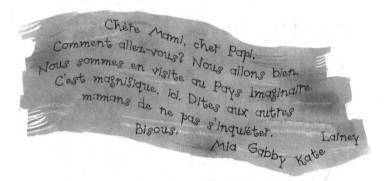

Chère Mami, cher Papi,
Comment allez-vous? Nous allons bien.
Nous sommes en visite au Pays Imaginaire.
C'est magnifique, ici. Dites aux autres
mamans de ne pas s'inquiéter.
Bisous,
Mia Gabby Kate
Lainey

Mia souffla pour sécher l'encre. Elle tendit ensuite la note à Prilla.

Prilla tint le morceau d'écorce
dans ses bras. Elle visualisa un
tunnel avec, à son extrémité,
la maison de Mia et Gabby.

Elle cligna.

Prilla atterrit dans une pièce
sombre. Elle entendit un petit
ronflement. Elle baissa les
yeux et vit un petit garçon
endormi, un dinosaure sous
le bras.

« Mauvaise maison ! » pensa
Prilla. Elle cligna de nouveau.

Elle se retrouva assise sur les pages d'un livre ouvert. Un garçon et une fille la regardaient.

– Regarde, maman ! dit la petite fille. Une fée !

– Mais non, c'est un oiseau, dit la maman en tournant la page.

Prilla parti en un clin d'œil.

À son troisième essai, Prilla aboutit sur le porche d'une étroite maison de briques. Elle était certaine d'être au bon endroit.

Elle posa la note devant la porte. Elle repartit en un clin d'œil, trop tôt pour voir que le vent avait emporté la petite note.

– C'est fait ! dit-elle en apparaissant dans la chambre sous le saule.

– Quoi donc? demanda Kate.

– Je suis allée porter le message,
dit Prilla. Je ne croyais pas que
ce serait si long, mais j'ai mis
du temps à trouver la bonne
maison.

– Mais tu n'as pas bougé d'ici,
dit Kate.

Aux yeux des filles, pas plus
d'une seconde ne s'était
écoulée. Elles n'avaient pas
vu Prilla quitter la chambre.

Prilla fut surprise de l'apprendre. Elle ne s'était jamais demandé comment ses clins d'œil pouvaient être perçus de l'extérieur.

– Pensez-vous que ce soit la même chose pour nous? demanda Lainey. Que pas une seconde ne soit passée à la maison depuis notre départ?

– Peut-être, dit Prilla, perplexe. Un clin d'œil reste un clin d'œil, peu importe dans quelle direction on le fait.

Les filles soupirèrent de soulagement. Dès qu'elles comprirent que leurs parents ne seraient pas inquiets, elles retrouvèrent le sourire.

– C'est comme une fête en pyjama ! dit Lainey.

– C'est encore mieux, dit Mia. Nous pouvons rester éveillées toute la nuit si nous le voulons !

Mais la journée avait tout de
même été longue et pleine
de surprises. Peu à peu, les
ricanements se transformèrent
en bâillements, et, une à une,
Gabby, Lainey et Mia
sombrèrent dans un sommeil
profond.

*

Kate resta éveillée pendant
un bon moment. Elle était
trop énervée pour dormir.

Toute sa vie, elle avait été persuadée que quelque chose d'extraordinaire allait lui arriver. Maintenant que ça y était, elle ne voulait rien manquer.

Dès qu'elle fut certaine que toutes les autres étaient bien endormies, Kate se glissa hors de son lit. Elle s'approcha des fées et vit qu'elles aussi dormaient profondément.

Sans faire de bruit, Kate sortit dans la nuit.

Oui, la Vallée des Fées était fabuleuse à la lumière du jour, mais elle l'était encore plus sous les étoiles. Des petites lanternes étaient accrochées aux arbres, une douce brise transportait un parfum de jasmin.

Kate avança doucement dans la clairière. La pelouse était comme du velours sous ses pieds.

Elle ouvrit grand les bras et
tourna sur elle-même, exaltée.
Cette journée avait été
exceptionnelle. Et qui pouvait
prédire ce que demain leur
réservait?

Dans ce paradis, il n'y avait pas de parents ni de professeurs, pas de règles ni d'interdits. Il n'y avait que la promesse de belles journées d'aventures.

Un petit rire retentit alors dans la noirceur.

– Qui est là ? murmura Kate.

Elle n'obtint que le chant d'un criquet pour toute réponse.

Un nuage passa et cacha la lune. Kate frissonna. « Mon imagination me joue des tours », pensa-t-elle.

La nuit lui sembla tout d'un coup plus noire. Kate pressa le pas vers le saule, frôlant un buisson de primevère sur son passage.

Dans sa hâte, elle ne remarqua pas la paire d'yeux qui la fixaient depuis les fines branches.

chapitre 6

Quand les filles s'éveillèrent
le lendemain matin, elles
trouvèrent un panier de
muffins fraîchement cuits
devant leur chambre. Dans
le panier, elles aperçurent un
message de Reine Clarion.

Le message était écrit en Alphabet Foliacé, l'ancien alphabet secret des fées. Clochette le lut pour elles :

– « Vous devez vous présenter au Cercle des Fées, ce matin », dit Clochette. On dirait bien que la reine a des nouvelles à vous transmettre.

– Le Cercle des Fées ! s'exclama Prilla. Ce doit être vraiment important.

Après le déjeuner, Prilla et
Clochette guidèrent les filles
à travers la clairière. C'était
une autre journée magnifique.
Le ciel était d'un bleu éclatant
et la pelouse était fraîche et
couverte de rosée. Les filles
rigolaient et papotaient tout
en marchant.

Tout à coup, elles se turent.
Devant elles se trouvait un
rond parfait de champignons-
tabourets, entourant une
grande aubépine.

L'atmosphère qui régnait dans cet endroit était si particulière que les filles surent tout de suite que c'était un lieu magique.

Reine Clarion était assise sur un champignon blanc comme neige.

– Voici Bruine, dit Reine Clarion en leur présentant la fée assise à sa gauche. C'est une fée Météo. Elle sait tout du temps qu'il fait partout au Pays Imaginaire. Et voici Étoile, ajouta-t-elle en présentant la fée assise à sa droite.

C'est une fée Clairvoyante.
Elle peut voir des choses qui
nous sont invisibles. Étoile et
Bruine savent comment vous
êtes venues au Pays Imaginaire.

– Un pouf austral rafalait,
dit Bruine en s'approchant
des filles. Parallèlement, une
norrasque ardente faisait
avancer l'île…

– Ce qu'elle veut dire,
interrompit Étoile, c'est que
nous croyons que le Pays
Imaginaire a fait rouler les
vagues jusque chez vous.

– Les vagues? interrogea Kate.
Les vagues d'un océan?

Étoile acquiesça.

– C'est impossible, dit Mia.
Nous n'habitons pas près de
l'océan.

– Rien n'est impossible,
répondit Étoile. L'île fait ce
qu'elle veut. Nous pensons
qu'elle est venue si près
de votre monde qu'il n'a fallu
qu'une petite poussée
pour vous faire traverser.

– Mon clin d'œil ! comprit
Prilla.

– Exactement, dit Étoile. Je vais
vous montrer quelque chose.

Elle se pencha derrière un
champignon-tabouret et en
sortit une vieille paire de
lunettes. Elle était très usée.

– Des lunettes ?
dit Kate, déçue.

–Je les ai trouvées, échouées
sur la plage, expliqua Étoile. Je
les ai réparées avec une touche
de magie. Entrez dans le
Cercle des Fées et essayez-les.

Comme d'habitude, c'est Kate
qui s'avança la première. Elle
se tint bien droite au centre
du cercle, puis elle mit les
lunettes. Elle ne vit plus la
forêt devant elle, mais plutôt
une porte qui lui était
familière.

–C'est ma maison !
s'écria-t-elle.

Les autres filles essayèrent à leur tour les lunettes. Elles virent chacune leur maison.

– Pourquoi l'image est-elle voilée ? demanda Lainey.

– Les lunettes nous disent à quel point nous sommes près de l'Autre Monde, expliqua Étoile. Plus nous sommes loin, moins l'image est claire.

– Quand nous rapprocherons-nous à nouveau ? demanda Mia.

Bruine souleva un objet qui ressemblait à un virevent. Celui-ci tournoya dans la brise.

–Un zéphirien file franc nord, dit-elle en observant son instrument. Ce pourrait être avant le prochain solbas.

– Ce qu'elle veut dire, s'impatienta Étoile, c'est que ce pourrait être très bientôt, entre le prochain lever et coucher du soleil.

Les filles semblaient toujours perplexes.

– Prilla peut vous renvoyer en un clin d'œil demain, conclut-elle.

– Demain ? répéta Clochette, enthousiaste.

Cela signifiait que sa corvée de surveillance tirait à sa fin. Elle pourrait enfin regagner son atelier! Clochette ne put s'en empêcher: elle virevolta de joie.

Kate échangea un regard avec ses copines. Leurs mines tristes et déçues reflétaient son propre sentiment.

– Nous venons à peine d'arriver, se plaignit-elle. Devons-nous vraiment partir tout de suite?

– Ce pourrait bien être votre seule chance, dit Étoile. Nous ne savons pas quand l'île va se remettre à dériver de la sorte.

– Étoile, Bruine, vous nous avez été d'une aide précieuse, dit Reine Clarion.

Les deux fées hochèrent la tête et s'en allèrent.

Quand les filles quittèrent le Cercle des Fées, Kate crut qu'elle allait pleurer. « Ce n'est pas juste, pensa-t-elle. Nous n'avons même pas vécu une seule aventure. »

– Alors, qu'aimeriez-vous faire pour votre dernière journée dans la Vallée des Fées? demanda Prilla d'une voix qu'elle voulait joyeuse et légère.

Ce n'était qu'une façade. Elle était aussi triste que les filles. Elle ne voulait pas les voir partir si tôt.

– Aimeriez-vous cueillir des bleuets? dit Prilla. Ou faire des courses de bateau? Ou encore aller à la chasse aux champignons?

–Je veux voler, dit Kate.

Elle n'y avait même pas pensé. Les mots étaient sortis de sa bouche sans qu'elle y réfléchisse. Mais, maintenant qu'elle les avait prononcés, elle savait de tout son cœur que c'est ce qu'elle voulait par-dessus tout.

–Oui! dit Mia, un grand sourire illuminant son visage.

–Je veux voler aussi! dit Lainey.

– Moi aussi ! dit Gabby.

– Gabby, tu es trop petite, dit Mia.

Gabby lui jeta un regard si noir que Mia n'ajouta pas un mot.

– Nous voulons apprendre à voler, dit Kate.

– Pourquoi pas, dit Clochette en soulevant les épaules. Je vais demander à Terence si nous pouvons avoir un peu de poussière de Fées.

Les filles sautèrent de joie.

Kate était tout particulièrement contente, parce qu'un plan prenait forme dans sa tête. C'était un plan complètement fou, un plan génial… un plan qui leur permettrait de revenir au Pays Imaginaire.

Chapitre 7

Pour leur leçon de vol,
Clochette emmena les filles
près du ruisseau. Le sol était
recouvert de mousse et les
branches des arbres formaient
une voûte au-dessus de leur
tête.

– C'est l'endroit parfait pour apprendre, dit Clochette.

Il y a des branches où vous agripper au besoin et le sol est coussiné pour adoucir l'atterrissage.

Terence les avait suivies et avait apporté avec lui un petit sachet de poussière de Fées.

– Laquelle d'entre vous sera la première? demanda-t-il aux filles.

– Moi! s'écria Kate.

Terence mesura une toute petite dose de poussière.

– C'est tout? dit Kate.

Il ne lui semblait pas y en avoir assez pour lui permettre de voler. En fait, il ne lui semblait même pas y en avoir assez pour la faire éternuer.

– La poussière de Fées est une denrée précieuse, dit Clochette. Une mesure par personne par jour, c'est ce à quoi nous avons droit.

Ni plus ni moins. Maintenant, retiens ton souffle si tu ne veux pas la voir s'envoler à tous vents.

Kate retint son souffle
tandis que Terence versait
la poussière sur elle.
Elle ressentit aussitôt un
picotement, des oreilles
aux orteils. La sensation lui
rappelait ce que l'on ressent
à se réchauffer près d'un
bon feu après avoir joué dans
la neige toute la journée.
Elle battit des bras, mais rien
ne se produisit.

– Qu'est-ce que je fais, ensuite ?

– Patience, lui dit Clochette.

Terence saupoudrait les autres filles de poussière de Fées.

– Oh ! dit Prilla, frétillante. Que c'est excitant !

– Pensez à quelque chose de léger, conseilla Clochette. Soulevez les épaules. Sautillez sur le bout des pieds.

Les filles se concentrèrent. Elles se soulevèrent et sautillèrent.

– Oh ! cria Mia quand ses pieds quittèrent le sol. Gabby, prends ma main.

Les deux sœurs s'élevèrent ensemble dans les airs.

– Regardez ça ! dit Lainey en s'approchant d'elles. Je vole !

Kate n'avait pas encore bougé. Elle donna un violent coup de pied au sol et s'éleva d'un coup.

– Hé ! cria-t-elle. Regardez... Ouch !

Elle venait de se cogner la tête sur une branche. Elle retomba au sol en se tenant la tête, mécontente.

– Allez, Kate! dit Gabby en flottant au-dessus d'elle, ses ailles frémissant dans la brise. C'est amusant!

Kate se donna un autre élan. Mais au lieu de filer dans les airs, elle s'élança de côté et un tronc d'arbre freina sa course.

– Ouf! se plaignit-elle sous l'impact.

Au-dessus de sa tête, Mia
glissait dans les airs. Kate la
regarda avec envie. Mia avait
l'air d'une sirène avec ses
longs cheveux qui flottaient
derrière elle.

Kate fit la moue. « Pourquoi
est-ce que je n'arrive pas
à voler, moi ? » pensa-t-elle.
À la maison, elle réussissait
tout mieux que les autres.

« Peut-être que je ne fais pas
assez d'efforts », se dit-elle.

Elle ferma les yeux. Elle se
mit à penser à des trucs
légers : des plumes, des nuages,
des ouates… Elle faisait un
tel effort que ça lui donna mal
à la tête.

–Je peux voir jusqu'au bout du
monde ! dit Mia depuis les airs.

Kate grinça des dents.
« Concentre-toi ! » se dit-elle.
Elle s'élança de nouveau.
Cette fois, elle s'envola.

–J'ai réussi ! s'écria Kate.
Je vole !

Elle se dirigeait droit
sur Mia. « Pourquoi Mia
s'agrippe-t-elle à cette
branche ? » pensa Kate.

Au dernier instant, Kate
aperçut le visage pâle de son
amie. Elle comprit que Mia
était terrifiée.

Mais il était trop tard. Kate
ne pouvait pas s'arrêter.
Elle s'abattit sur Mia qui, elle,
lâcha la branche. Les deux
filles crièrent en tombant vers
le sol.

– Imaginez-vous en train
de voler! cria Clochette.
Croyez-y plus que tout!

Les filles ne pouvaient penser
à autre chose que le sol qui
s'approchait d'elles à une
vitesse folle.

Kate accrocha Lainey au
passage. Les trois filles étaient
maintenant en chute libre.

Plouf!

Plouf!

Plouf!

L'une après l'autre, elles tombèrent dans le ruisseau Barbotine.

Gabby virevoltait toujours dans les airs. Mais, en voyant les filles tomber, elle tomba elle aussi. Gabby voulait toujours faire comme les grandes. Elle tomba dans l'eau juste à côté de Kate. *Plouf!*

Les filles étaient trempées et grelottantes.

– Merci, Kate, dit Mia en claquant des dents.

Puis elles entendirent une symphonie de petites cloches. C'était Clochette qui riait aux éclats. Les filles étaient sans voix. C'était la première fois qu'elles entendaient rire Clochette.

–Je crois bien que c'est assez pour aujourd'hui, dit Clochette en s'essuyant les yeux.

*

Kate ne dit pas un mot sur le chemin du retour. Elle marchait lentement, plongée dans ses pensées.

Terence leur avait raconté que d'autres enfants étaient déjà venus au Pays Imaginaire en volant avec Peter Pan. Si c'était vrai, Kate et ses amies pourraient voler pour y revenir, elles aussi. C'était là le plan de Kate : pourvoir revenir au Pays Imaginaire quand bon lui semblerait. Même si d'autres enfants n'avaient pas pu revenir, ça ne voulait pas dire que ce n'était pas possible.

Pour que ce plan fonctionne,
il lui aurait fallu apprendre à
voler. Elle n'avait pas réussi,
du moins pas plus qu'un
instant, aujourd'hui. Ce qui
n'était clairement pas suffisant
pour traverser un océan !

Et il était maintenant trop
tard. Demain, elle devrait
rentrer chez elle et quitter la
Vallée des Fées à jamais.

Plus elle réfléchissait, plus
Kate marchait lentement.
Plus elle marchait lentement,
plus elle s'éloignait du groupe.

À un certain moment, Kate
se rendit compte qu'elle
n'entendait plus la voix de
ses amies.

Elle s'arrêta et regarda autour
d'elle. Elle n'était plus certaine
de la route à suivre.

– Allô? tenta-t-elle. Les filles?

Les feuilles d'un petit buisson
remuèrent. Kate se retourna
vivement. Elle se rappela
qu'elle traversait une étrange
forêt. Dieu seul savait quel
genre de créatures s'y cachaient.

Kate saisit un gros bâton qu'elle tint comme si c'était une épée. Elle fit face au buisson.

Une fée en sortit.

– C'est juste une fée! dit Kate, soulagée.

– Oui, petite futée, je suis une fée, dit son interlocutrice.

La fée avait de longs cheveux noirs et un petit visage pâle, un peu pincé. Ses ailes étaient étroites et pointues comme des couteaux.

– As-tu l'intention de me frapper avec ce bâton? demanda-t-elle à Kate.

Kate baissa aussitôt son « arme ».

– Que faites-vous ici? demanda-t-elle à la fée.

– Je vais où bon me semble, ma chérie, dit la fée un peu sèchement. Toi, que fais-tu ici? Et pourquoi es-tu détrempée?

– Nous avons eu des leçons
de vol, dit-elle. Ça ne s'est pas
très bien passé.

– Les Empotés ne peuvent pas
voler, dit-elle avec un sourire
mesquin. Ils n'ont pas d'ailes.

– Mes amies n'ont pas d'ailes
et elles ont réussi à voler,
lui fit remarquer Kate.

– Ah bon ? rétorqua la fée.
Alors, c'est que tu n'as aucun
talent.

– J'imagine, dit Kate, toute
triste.

– Si tu veux vraiment voler, continua la fée, je peux peut-être t'aider.

– Comment ? demanda Kate.

– Eh bien, ma chérie, je suis la meilleure fée Véloce de la Vallée de Fées.

« Une fée Véloce ! » pensa Kate. Son cœur battait à tout rompre.

– Vous accepteriez de m'aider ? tenta Kate.

–Je pourrais, dit la fée. Mais j'aurai besoin de ton aide en retour, ajouta-t-elle d'un air sournois.

–Évidemment, acquiesça Kate.

–Viens me trouver dans le verger au lever de la lune, dit la fée. Près du prunier, ajouta-t-elle avant de s'en aller.

–Attendez! cria Kate. Comment vous appelez-vous?

–Vidia, répondit la fée.

Le nom lui rappela quelque
chose. Mais Kate n'avait pas
écouté quand Prilla les avait
mises en garde contre Vidia.

–Je m'appelle Kate, dit-elle.

Vidia souleva les épaules comme si le nom de Kate lui importait peu. Elle s'en alla.

– Oh ! Encore une chose ! cria Kate. Comment je fais pour me rendre…

Kate ne finit pas sa phrase. Vidia était déjà partie.

Au même moment, Clochette apparut.

– Te voilà ! dit-elle. Nous t'avons cherchée partout. À qui parlais-tu ? ajouta-t-elle en regardant les alentours.

– C'était… Personne.
Non, personne, dit Kate.

Elle ne voulait pas parler
à Clochette de ses leçons
de vol avec Vidia.

Clochette fronça les sourcils,
mais elle ne posa pas d'autres
questions, au grand
soulagement de Kate.

– Viens, suis-moi, dit
Clochette. Les filles nous
attendent.

Même le souci de Clochette ne
pouvait altérer la joie de Kate.
Elle allait apprendre à voler
avec la fée la plus rapide
de toute la Vallée des Fées !

Chapitre 8

Cette nuit-là, quand les autres filles furent endormies, Kate sortit en douce de la chambre sous le saule. Depuis l'orée du verger, elle pouvait voir un arbre penché doté de branches tordues. Elle sut tout de suite qu'il s'agissait du prunier dont avait parlé Vidia.

– Vidia ? chuchota Kate.

Une seconde plus tard, elle
sentit une toute petite brise
alors que Vidia arrivait à ses
côtés.

– Je suis prête pour ma leçon
de vol, dit Kate.

– Une chose à la fois,
mon cœur, dit Vidia.
Nous avons
besoin de
poussière
de Fées.

Vidia lui tendit un truc qui ressemblait à une chaussette.

Kate observa l'objet plus attentivement. C'était bien une chaussette. Une longue chaussette rouge avec un trou recousu vis-à-vis le gros orteil.

– Je l'ai prise à un pirate, dit Vidia. Ne t'inquiète pas, je l'ai lavée.

– C'est pour faire quoi ? demanda Kate.

– Pour transporter la poussière, mon petit génie !

dit Vidia. Allez, vas-y. Va la remplir.

– Toute la chaussette? s'exclama Kate, sous le choc.

La chaussette était aussi longue que son avant-bras.

– Clochette nous a dit qu'on n'avait droit qu'à une mesure, dit Kate.

– Clochette n'aime pas voler, dit Vidia avec un sourire narquois. Pas comme nous.

– Mais… commença Kate.

– Penses-y, ma chérie, dit
Vidia. Si une toute petite
mesure peut t'aider à voler,
imagine la vitesse que tu
pourras atteindre avec une
plus grande quantité.

– Mais… dit Kate en prenant
la chaussette. Pourquoi ne
pouvez-vous pas aller chercher
la poussière vous-même ?
demanda-t-elle.

– Ma chérie, si on reste ici à
discuter toute la nuit, nous
n'aurons plus le temps de
voler, dit Vidia. Allez, vas-y.

Alors que Kate s'éloignait,
Vidia ajouta :

– Ne t'inquiète pas, la
poussière de Fées appartient
à nous toutes.

Kate longea le ruisseau vers
le moulin. Elle ne se sentait
pas bien. Ça ne lui semblait
pas correct de prendre de
la poussière de Fées au beau
milieu de la nuit. Elle avait
l'impression de commettre
un vol.

« Mais Vidia a dit qu'elle appartenait à toutes les fées », pensa Kate. De plus, elle aurait besoin de beaucoup de poussière de Fées pour qu'elle et ses amies puissent revenir au Pays Imaginaire.

Dans la douce lumière de la lune, Kate vit le moulin un peu plus loin devant elle. Elle s'approcha lentement. Elle espéra soudain que Terence y soit. Elle pourrait alors simplement lui demander de la poussière de Fées.

– Allô? chuchota Kate. Il y a quelqu'un?

Le seul bruit qui perturbait le silence de la nuit était le clapotis de l'eau dans la roue.

Kate tira délicatement sur la double porte. Elle s'ouvrit facilement. De l'extérieur, elle apercevait à peine les contenants-citrouille.

Kate était beaucoup trop grande pour se glisser à l'intérieur, mais son bras passait facilement par la porte.

Elle saisit une citrouille et l'attira vers elle. Elle souleva le couvercle et vit qu'elle était pleine aux trois-quarts.

Elle y plongea la main et prit une poignée de poussière de Fées... puis une autre et encore une autre. Il fallut presque la totalité du contenant pour remplir la chaussette.

« La poussière de Fées appartient à tout le monde », se répéta Kate. Elle replaça la citrouille et referma la porte.

En se relevant, elle vit que ses
mains luisaient de poussière.
Elle sentait la magie s'emparer
d'elle. Elle s'élança en courant,
presque en volant, jusqu'au
verger.

Vidia sourit quand elle vit
la chaussette bien remplie. Elle
prit une grosse poignée pour
elle-même, puis une autre pour
Kate. Kate noua ensuite la
chaussette à la ceinture de son
pantalon.

– Bon, maintenant, suis-moi, dit
Vidia en filant dans les airs.

Kate bondit derrière elle. La
surdose de poussière de Fées lui
donna une force considérable.
En un éclair, elle aboutit bien
au-delà du prunier tordu.

Mais, dès l'instant suivant, elle commença à redescendre. Elle s'efforça de penser à des choses légères, comme Clochette le lui avait enseigné, mais le sol était de plus en plus menaçant.

– Tu en fais trop, lui chuchota Vidia à l'oreille. Pense, mais ne pense pas. Garde l'idée de légèreté en tête. Sens l'air te soulever.

Kate essaya de penser sans penser. Elle sentit l'air du soir sur ses bras.

Elle s'élança et s'éleva haut dans les airs, toujours plus haut.

En un instant, Kate volait plus haut que l'Arbre-aux-Dames. Elle glissa dans l'air. Une douce brise lui caressa le visage. Elle volait !

« Comment ai-je pu trouver ça difficile ? » se demanda Kate. Ça lui semblait si facile, maintenant.

Kate comprit qu'elle pouvait utiliser ses bras pour se diriger. Elle descendit un peu pour sentir les feuilles d'un arbre lui chatouiller les pieds. Elle remonta ensuite et fit une culbute acrobatique.

– Tu as réussi, petite ! dit Vidia. Maintenant, essaie de voler plus vite !

Vidia fendit l'air et Kate se lança à sa poursuite.

– Plus vite ! cria Vidia.

Kate filait comme l'éclair.
Elle volait plus vite qu'elle ne
l'aurait jamais cru possible.

Mais Vidia accéléra de
nouveau. Elle allait si vite
qu'on aurait dit une étoile
filante dans la nuit. Kate
l'entendait crier de sa petite
voix :

– Plus vite ! Encore plus vite !

Kate rit aux éclats. Juste en
dessous, le Pays Imaginaire
s'offrait à elle comme une jolie
courtepointe.

Des petits carrés de plage
succédaient aux carrés
de rochers, puis à d'autres
de verdure. Au-dessus,
les étoiles brillaient comme
des diamants sur une toile
de velours noir.

– Où devrions-nous aller?
demanda Kate à Vidia.

– N'importe où! répondit
la fée.

Au loin, Kate distingua le
profil d'une montagne.
Elle s'y dirigea sans réfléchir.

Tout à coup, une grosse masse apparut devant ses yeux.
Deux gros yeux jaunes brillèrent dans la noirceur.
Kate cria et se couvrit les yeux. Elle perdit de l'altitude, à temps pour éviter le gros hibou, de justesse.

L'oiseau de nuit cria pour marquer son irritation, puis s'éloigna.

Kate retrouva son équilibre.

—Je l'ai échappé belle, dit Kate d'une voix tremblante.

Pouvons-nous nous arrêter une minute ? Vidia ?

Kate n'obtint pas de réponse. Elle parcourut le ciel du regard, mais ne vit aucune trace de la fée.

Kate baissa les yeux. Plus rien ne pendait à sa ceinture. Vidia était partie… avec ce qui restait de poussière de Fées.

Chapitre 9

Clochette était assise sur un banc dans son atelier. Un rayon de soleil rebondissait sur la casserole qu'elle était en train d'examiner.
« Réparation délicate, se dit-elle. Très délicate… »

–Clochette! l'interrompit une voix.

–Pas maintenant, dit Clochette. Je suis occupée.

–Clochette, insista la voix. Réveillez-vous!

Clochette ouvrit les yeux. Elle n'était pas dans son atelier. Elle était couchée dans un hamac, dans la chambre sous le saule. Mia et Gabby étaient penchées au-dessus d'elle.

–J'étais au beau milieu d'un merveilleux rêve, dit Clochette, les sourcils froncés.

–Prilla nous a dit de vous réveiller, dit Mia. Kate est partie.

Clochette s'assit et bâilla.

–Elle est peut-être simplement sortie marcher, dit-elle.

–Nous l'avons cherchée partout, dit Mia en secouant la tête. Personne dans la Vallée des Fées ne l'a vue.

« On n'a jamais un instant
de répit avec ces Empotées,
pensant Clochette. Au moins,
ce sera bientôt fini. »

Aujourd'hui, les filles allaient
rentrer chez elles et Clochette
pourrait enfin regagner son
atelier. Cette seule pensée la
remplit d'énergie. Elle sauta
du lit.

– Bon ! dit-elle. Allons la
trouver.

Dehors, elles tombèrent sur
Prilla et Lainey.

– Nous arrivons de la plage,
dit Prilla. Kate n'est pas là
non plus.

– Il est encore tôt, dit Clochette.
Elle n'a pas pu aller bien loin.

Au même moment, elles virent
Terence approcher. Clochette
sut tout de suite que quelque
chose ne tournait pas rond.
Terence avait les ailes basses
et la mine sombre.

– Que se passe-t-il ? demanda
Clochette, inquiète.

– Quelqu'un a volé de la
poussière de Fées au moulin,
dit Terence.

– Vidia ! dit Prilla en un
souffle. Mais comment
a-t-elle fait ?

Vidia s'était déjà fait prendre
à voler de la poussière de Fées,
et ce, plus d'une fois. Elle n'était
donc plus admise aux alentours
du moulin.

La reine avait eu recours
à la magie pour l'en empêcher
définitivement.

Terence secoua la tête.

– Ce n'était pas Vidia, dit-il.
Pas cette fois. Vous devriez
venir voir ça, ajouta-t-il en
regardant ensuite Mia,
Lainey et Gabby. Venez aussi.

Elles suivirent Terence le long
du ruisseau jusqu'au moulin.

Un contenant-citrouille
se trouvait devant la porte.
Terence en souleva le
couvercle.

– Hier, il était plein,
expliqua-t-il.

Clochette et Prilla regardèrent
à l'intérieur. Une mince couche
de poussière couvrait le fond du
récipient – pas même de quoi
remplir une seule mesure!

– Une Empotée a pris le reste,
dit Terence, son regard sévère
dirigé vers les filles.

– Vous pensez que nous vous
avons volé ? s'écria Lainey,
abasourdie.

– Nous n'avons rien volé !
dit Mia en mettant son bras
autour des épaules de Gabby
d'un air protecteur.

– Alors, comment expliquez-
vous ceci ? dit Terence.

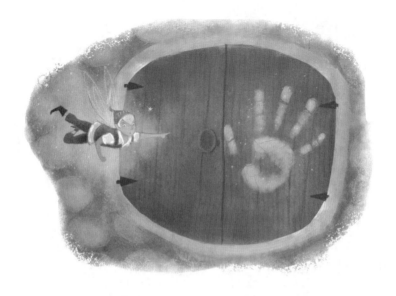

Il pointa du doigt la porte
du moulin. On y voyait,
luisante de poussière de Fées,
l'empreinte d'une main
de fillette.

Les filles se regardèrent,
les yeux ronds de surprise.

– Vous ne pensez pas que…
commença Lainey.

– Kate ne ferait jamais ça,
dit Mia d'une voix incertaine.

– Kate a disparu, expliqua
Clochette à Terence. Depuis
hier soir.

– Si c'est elle qui a pris la poussière de Fées, elle pourrait aussi bien être rendue à l'autre bout du Pays Imaginaire, à l'heure qu'il est, dit l'homme-hirondelle. Il nous faudra des jours pour la retrouver.

– Les filles doivent rentrer chez elles aujourd'hui ! dit Prilla avant de se tourner vers Clochette. Qu'allons-nous faire ?

Clochette soupira bruyamment. Elle pensa à la casserole qui l'attendait dans son atelier. Puis elle vit le visage inquiet des trois filles. Elle imagina Kate, perdue dans le Pays Imaginaire. Du coup, la casserole ne lui sembla plus si importante.

– Rassemble toutes les fées que tu peux trouver, dit Clochette à Prilla. Kate est quelque part. Il faudra peut-être toute la Vallée des Fées pour la retrouver.

*

Prilla se dépêcha d'aller
trouver les fées Messagères
pour leur parler de Kate.
Les Messagères alertèrent
les Éclaireuses. En quelques
minutes, les Éclaireuses
s'étaient déployées dans toute
la forêt à la recherche de
la fillette disparue.

Les fées
Aquatiques
participèrent
aussi aux
recherches;

elles parcoururent le ruisseau Barbotine à bord de leur canot d'écorce en appelant Kate à pleins poumons.

Entretemps, les fées Soigneuses sillonnèrent les airs. Elles volèrent à dos de geai bleu et d'étourneau, traçant de grands cercles dans l'espoir d'apercevoir Kate quelque part.

Prilla resta à l'Arbre-aux-Dames avec Mia, Lainey et Gabby. Clochette ne voulait pas qu'elles prennent part aux recherches.

– Vous ne pourrez pas aller bien loin à pied, dit-elle. Et il est trop facile de se perdre en forêt quand on ne connaît pas les environs.

– Je veux voler pour chercher Kate, moi aussi, dit Gabby en regardant les fées filer au-dessus de leur tête.

– On ne peut pas, dit Mia.
Il ne reste plus de poussière
de Fées pour nous aider à
voler. Kate l'a toute prise.

– C'est injuste, dit Gabby
avec une moue boudeuse.

– Oui, c'est injuste, dit Mia.

– De toute façon, je n'ai pas
besoin de poussière pour voler,
dit Gabby. J'ai des ailes, moi.

– Mia, tu ne penses pas que Kate nous ait volontairement abandonnées, hein? demanda Lainey.

– Je ne sais pas, répond Mia.

À son air renfrogné, il était évident que Mia nourrissait les mêmes doutes.

Lainey leva les yeux au ciel.
Le soleil était bien haut.
Le temps filait.

– Qu'est-ce qu'on va faire
si on ne trouve pas Kate
à temps? demanda-t-elle.

Personne ne répondit.
Personne n'en avait la
moindre idée.

– Nous allons la trouver, dit
Prilla d'un ton résolu. C'est
toute la Vallée des Fées qui est
à sa recherche, maintenant.

– Où est Gabby? demanda
soudainement Lainey.

–Qu'est-ce que tu veux dire?
demanda Mia. Elle était là
il y a une seconde à peine.

Les filles et Prilla firent le
tour de l'Arbre-aux-Dames.
Elles s'avancèrent dans la
forêt pour voir. Lainey sprinta
même vers la chambre sous le
saule. Aucune trace de Gabby.

–J'aurais dû la surveiller, dit
Mia. Où peut-elle bien être?

– Elle a dit qu'elle voulait
voler, se souvint Lainey.
Tu ne penses pas qu'elle aurait
pu partir à la recherche
de Kate, non?

– Elle ne peut pas voler,
dit Prilla. Elle n'a pas
de poussière de Fées.

– Mais elle croit vraiment
qu'elle peut voler, dit Mia.

Elles se tournèrent vers
la forêt.

– Oh, non ! dit Prilla.
Nous voilà avec deux filles
disparues !

*

Clochette et son amie Beck,
une fée Soigneuse, volaient au-
dessus de la forêt sur le dos
d'un étourneau. C'était le
troisième tour qu'elles faisaient
depuis le début des recherches,
mais elles n'avaient pas encore
aperçu Kate.

– Penses-tu qu'elle ait pu se rendre jusqu'à la Montagne Tordue ? cria Beck pour se faire entendre malgré le sifflement du vent.

Clochette observa la montagne qui se dessinait au loin. Il n'était pas facile de déterminer à quelle distance elle se situait; ça l'était encore moins de savoir si Kate avait pu se rendre jusque-là.

Le Pays Imaginaire n'avait jamais la même circonférence : c'était là toute la magie de l'île. Il fallait parfois mettre des jours pour la traverser, alors qu'à d'autres moments, on atteignait l'autre côté en quelques heures à peine.

– On pourrait aller voir, admis Clochette.

Au même moment, quelque chose de brillant attira son attention.

Elle crut d'abord voir une libellule géante, mais, en observant attentivement, elle reconnut les ailes chatoyantes de Gabby.

«Comment a-t-elle fait pour se rendre jusqu'ici, celle-là?» pensa Clochette.

Clochette ne le savait pas, mais c'est le Pays Imaginaire qui avait amené Gabby jusque-là. L'île avait ressenti la force des croyances de Gabby, et elle s'était repliée sur elle-même pour aider la fillette.

Gabby leva les yeux et vit les deux fées. Elle fit bouger ses bras et leur cria quelque chose.

Beck et Clochette se rapprochèrent. Elles entendirent enfin ce que leur criait Gabby.

–J'ai retrouvé Kate ! articulait-elle en faisant de grands gestes vers un arbre voisin. Je l'ai retrouvée !

Puis Clochette la vit, tout empêtrée dans les branches du grand arbre.

Chapitre 10

Une fois Kate retrouvée,
Clochette et Beck lancèrent un
appel à toutes les autres fées.
Toutes sans exception, y
compris Mia et Lainey,
se ruèrent au pied du grand
chêne. Elles virent Kate dans
les hautes branches.

Celle-ci semblait fatiguée et effrayée.

Évidemment, le défi était maintenant de la faire redescendre en toute sécurité. Par chance, c'était le type de problème que Clochette adorait résoudre. Elle passa un bon moment à bricoler pour fabriquer un système de poulies. Elle fit elle-même le mécanisme avec d'anciennes roues de chariots à souris.

Les fées Cueilleuses
l'attachèrent aux plus hautes
branches. Puis, toutes
s'appliquèrent à faire
redescendre Kate.

De retour au sol, Kate
embrassa ses amies. Quand
elle apprit que c'était Gabby
qui l'avait trouvée, elle reprit
la fillette dans ses bras.
Kate leur raconta sa leçon
de vol avec Vidia et son
atterrissage raté.

– Quand je n'ai pas trouvé Vidia, j'ai commencé à avoir peur, expliqua-t-elle. J'ai voulu atterrir, mais il faisait noir. Je ne voyais pas où je m'en allais, et j'ai foncé droit sur le chêne. Je ne pouvais plus voler non plus. J'imagine que la poussière de Fées ne faisait plus effet.

– Pourquoi n'as-tu pas utilisé la poussière que tu as prise au moulin? demanda Terence.

–Je ne l'ai plus, répondit Kate. Je l'avais attachée à un de mes passants de ceinture, mais je l'ai perdue.

–Vidia l'a prise, sans doute, dit Clochette.

–Voilà ce qu'elle manigançait, dit Prilla. Elle a forcé Kate à voler la poussière au moulin pour ensuite la garder pour elle toute seule.

–Je n'ai rien volé! dit Kate, sous le choc. Vidia m'a dit que...

Kate se tut. En voyant le visage fermé de ses copines, elle comprit que Vidia lui avait menti.

– Je ne l'aurais jamais prise si j'avais su que c'était du vol, dit Kate. Je voulais simplement apprendre à voler. J'ai cru que si l'on savait comment voler, on pourrait revenir dans la Vallée des Fées chaque fois qu'on le voudrait.

– Tu voulais pouvoir revenir ici? demanda Prilla.

– Plus que tout au monde,
dit Kate tandis que les filles
hochaient la tête en signe
d'approbation. Mais j'ai tout
bousillé, maintenant.

À la surprise de Kate,
Clochette vola vers elle et
se posa sur son épaule.

– Tu n'as rien bousillé du tout, dit Clochette. Et tu pourras sans doute trouver le moyen de revenir nous voir. Je serais contente de te revoir.

– Oh ! dit Prilla tout à coup. Il se fait tard. Si nous ne partons pas maintenant, nous risquons de ne pas pouvoir vous renvoyer dans l'Autre Monde !

Le soleil commençait à descendre à l'horizon.

Il était temps pour les filles de
se rendre au Cercle des Fées,
puis de rentrer à la maison.

*

Avant de partir, elles devaient
tout de même dire au revoir
à Reine Clarion. Elles la
trouvèrent au Cercle des Fées,
elle les y attendait.
Reine Clarion était
perchée sur le
champignon-tabouret
blanc comme neige,
toujours aussi
majestueuse.

Une à une, les filles lui dirent au revoir. Kate s'avança la dernière.

—Je suis désolée d'avoir perdu toute votre poussière de Fées, dit-elle à la reine.

—Nous la récupérerons, répliqua la reine. En grande partie, du moins. Vidia reviendra éventuellement dans la Vallée des Fées. C'est chez elle, ici. Aucune fée du Jamais ne peut s'éloigner pour bien longtemps.

Kate se sentit légèrement mieux. Les idées se bousculaient dans sa tête. Il y avait tant de choses qu'elle aurait aimé dire à la reine, par exemple, à quel point elle aimait la Vallée des Fées et le ruisseau Barbotine, le verger et la chambre sous le saule, les fées et les hommes-hirondelles qu'elle avait rencontrés...
Elle lui dit plutôt simplement :

– Merci pour votre gentillesse.

– Vous êtes toujours les
bienvenues dans la Vallée des
Fées, dit la reine avec un
aimable sourire.

Elle tendit sa minuscule
main. Kate la prit
délicatement entre son pouce
et son index et la serra
doucement.

Kate regagna le centre du
Cercle des Fées où Prilla et
ses amies l'attendaient.
Bruine était juste à côté,
son petit virevent en main.

– La marée se met de l'avant, dit-elle. La rafale est boréalement vive.

– Ce qu'elle veut dire, interjeta Étoile, c'est qu'il est temps d'y aller.

Les filles se prirent par la main. Prilla se posa sur la paume de Gabby. Elles étaient toutes ensemble, tout comme à leur arrivée au Pays Imaginaire.

– Au revoir, les fées ! dit Gabby.

– Au revoir! ajoutèrent les autres filles.

– Bon retour, leur répondirent la reine et Terence, en leur envoyant la main.

Clochette tirailla sa frange. Cette fois, ce n'était pas parce qu'elle était confuse ou contrariée, mais bien parce qu'elle voulait dissimuler son regard embrumé.

Prilla cligna des yeux et le monde bascula, en un clin d'œil.

Quand les filles ouvrirent
les yeux, rien n'avait changé.
Elles étaient toujours dans
le Cercle des Fées.

– Ça n'a pas fonctionné,
murmura Kate.

– Quoi ? dit Bruine en
fronçant les sourcils.

Puis elle agita son petit virevent
et enchaîna une suite de mots
incongrus que les filles ne
comprirent pas.

—Ce qu'elle veut dire, dit Étoile, un peu gênée, c'est que nous avons peut-être fait une ou deux petites erreurs.

Les filles souriaient à pleines dents.

—Ça n'a pas fonctionné, répéta Kate en élevant la voix.
Nous n'avons pas à rentrer chez nous! Pas tout de suite, en tout cas!

Les filles se tinrent par
la main. Clochette virevolta
jusqu'à elles, puis se posa
sur l'épaule de Kate. Elles
regardèrent ensemble le soleil
disparaître derrière l'horizon.

Elles savaient toutes, sans
l'ombre d'un doute, qu'elles
allaient un jour rentrer chez
elles. Mais, d'ici là, nombre
de belles aventures les
attendaient encore au Pays
Imaginaire.

DISNEP

Les Filles du Pays Imaginaire

Lisez les aventures de Kate, mia, Lainey, et Gabby !

Ne manquez pas la prochaine aventure féerique de la série des filles du Pays Imaginaire!

C'est injuste! Alors qu'elles commençaient à peine à s'installer dans la Vallée des Fées, Kate, Mia, Lainey et Gabby doivent rentrer à la maison! Clochette affirme qu'aucun enfant n'est jamais revenu au Pays Imaginaire, mais Lainey refuse de le croire. Ne pourra-t-elle plus jamais parcourir les bois à dos de biche? Et comment apprendra-t-elle à parler aux animaux, sans ses amies les fées? Mais, lorsque les filles quittent le Pays Imaginaire, sa magie semble les suivre... Cette souris que Lainey a trouvée dans sa cuisine, n'était-ce pas l'une des souris laitières de la Vallée des Fées? Serait-ce possible qu'il existe une sorte de brèche entre les deux mondes?